프레드릭

시공주니어

프레드릭

레오 리오니 그림/글 · 최순희 옮김

시공주니어

레오 리오니(1910~1999)

암스테르담에서 태어났다. 어렸을 때부터 그림에 재능이 있었던 리오니는 암스테르담 박물관에 걸려 있는 거장들의 그림을 똑같이 그리며 놀기를 좋아했다.
제노바 대학에서 경제학으로 박사 학위를 받은 리오니는, 직업으로 그래픽 아트를 하기 시작했고, 1939년 미국으로 이주하고 나서 아트 디렉터로
본격적인 활동을 하기 시작했다. 레오 니오니는 1984년에 인스티튜트 오브 그래픽 아트 골드 메달을 수상하면서 어린이책 작가로, 디자이너로, 조각가로 인정 받았다.
그 후《조금씩 조금씩》(1960),《프레드릭》(1968),《으뜸 헤엄이》(1963),《생쥐 알렉산드라와 태엽 장난감 쥐 윌리》(1969)로 칼데콧 아너 상을 네 번이나 수상하면서
전세계적으로 인정 받는 그림책 작가가 되었다.

최순희

한국외국어대학교 영어학과를 졸업했고, 남캘리포니아 대학원에서 도서정보학 석사 학위를 받았다. 10년 동안 미국 로스앤젤레스 시립도서관에서
어린이책 전문 사서로 일했다. 옮긴 책으로는《할머니가 남긴 선물》,《엄마의 의자》,《트리갭의 샘물》,《욕심쟁이 눈사람》,《바바야가 할머니》들이 있다.

프레드릭

초판 제1쇄 발행일 1999년 11월 15일
초판 제58쇄 발행일 2012년 4월 30일
지은이 레오 리오니 옮긴이 최순희
발행인 전재국 발행처 (주)시공사
주소 137-879 서울시 서초구 서초동 1628-1
전화 영업 2046-2800 편집 2046-2825~8
인터넷 홈페이지 www.sigongjunior.com

FREDERICK
Copyright ⓒ 1967 by Leo Lionni
Copyright ⓒ renewed 1995 by Leo Lionni
All rights reserved.
Korean translation copyright ⓒ 1999 by Sigongsa Co., Ltd.
This Korean edition was published by arrangement with Alfred A. Knopf, Inc.
New York through KCC, Seoul.

이 책의 한국어판 저작권은 KCC를 통해
Alfred A. Knopf, Inc.와 독점 계약한 (주)시공사에 있습니다.
저작권법에 의해 한국 내에서 보호받는 저작물이므로,
무단 전재와 무단 복제를 금합니다.

ISBN 978-89-527-0193-0 77840

*시공주니어 홈페이지 회원으로 가입하시면 다양한 혜택이 주어집니다.
*잘못 만들어진 책은 구입하신 서점에서 바꾸어 드립니다.

프레드릭

소들이 풀을 뜯고 말들이 뛰노는 풀밭이 있었습니다. 그 풀밭을 따라 오래된 돌담이
죽 둘러쳐져 있었습니다.

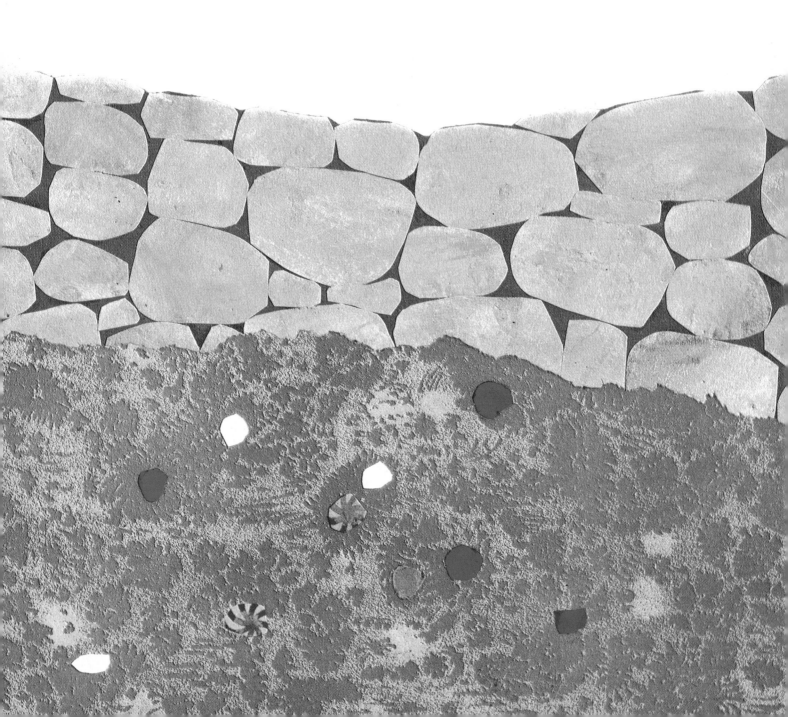

헛간과 곳간에서 가까운 이 돌담에는 수다쟁이 들쥐 가족의 보금자리가 있었습니다.

농부들이 이사를 가자, 헛간은 버려지고 곳간은 텅 비었습니다.
겨울이 다가오자, 작은 들쥐들은 옥수수와 나무 열매와 밀과 짚을 모으기 시작했습니다.
들쥐들은 밤낮없이 열심히 일했습니다.
단 한 마리, 프레드릭만 빼고 말입니다.

"프레드릭, 넌 왜 일을 안 하니?" 들쥐들이 물었습니다.
"나도 일하고 있어. 난 춥고 어두운 겨울날들을 위해 햇살을 모으는
중이야." 프레드릭이 대답했습니다.

어느 날, 들쥐들은 동그마니 앉아 풀밭을 내려다보고 있는 프레드릭을 보았습니다.
들쥐들은 또다시 물었습니다.
"프레드릭, 지금은 뭐해?"
"색깔을 모으고 있어. 겨울엔 온통 잿빛이잖아." 프레드릭이 짤막하게 대답했습니다.

한 번은 프레드릭이 조는 듯이 보였습니다.
"프레드릭, 너 꿈꾸고 있지?"
들쥐들이 나무라듯 말했습니다. 그러나 프레드릭은, "아니야, 난 지금 이야기를 모으고 있어.
기나긴 겨울엔 얘깃거리가 동이 나잖아." 했습니다.

겨울이 되었습니다. 첫눈이 내리자, 작은 들쥐 다섯 마리는
돌담 틈새로 난 구멍으로 들어갔습니다.

처음엔 먹이가 아주 넉넉했습니다. 들쥐들은 바보 같은
여우와 어리석은 고양이 얘기를 하며 지냈습니다.
들쥐 가족은 행복했습니다.

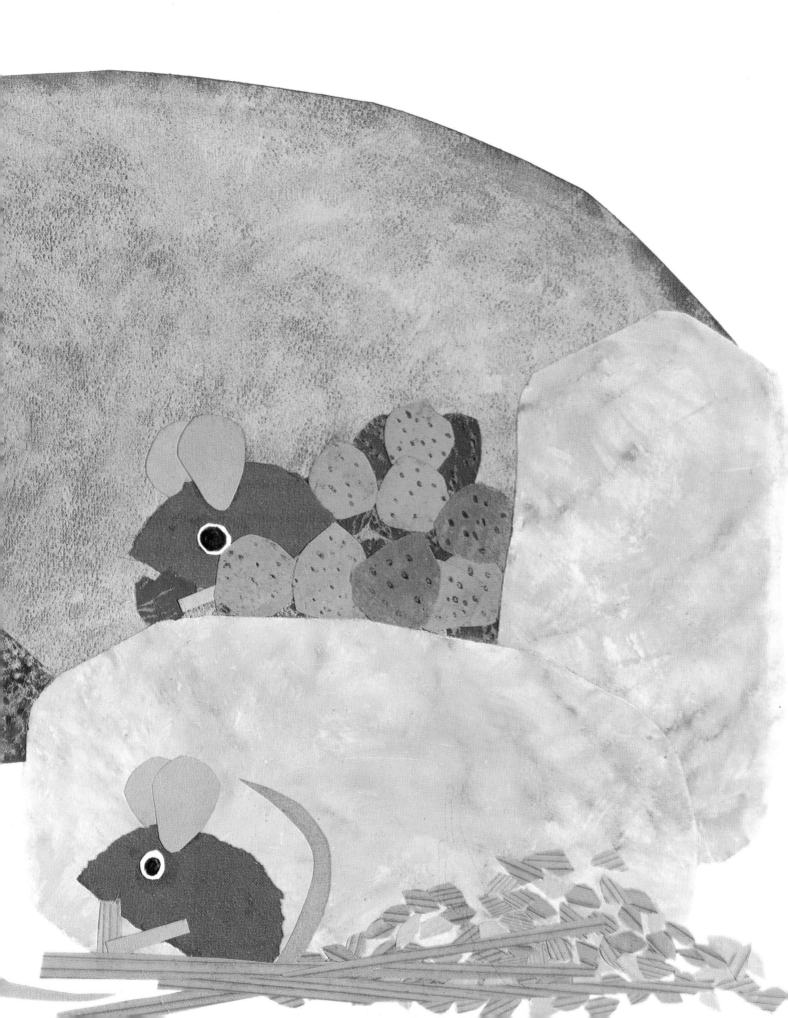

그러나 들쥐들은 나무 열매며 곡식 낟알들을 조금씩조금씩
다 갉아먹었습니다. 짚도 다 떨어져 버렸고, 옥수수 역시
아스라한 추억이 되어 버렸습니다.
돌담 사이로는 찬바람이 스며들었습니다. 들쥐들은
누구 하나 재잘대고 싶어하지 않았습니다.

그러던 들쥐들은, 햇살과 색깔과 이야기를 모은다고
했던 프레드릭의 말이 생각났습니다.
"네 양식들은 어떻게 되었니, 프레드릭?"
들쥐들이 물었습니다.

프레드릭이 커다란 돌 위로 기어 올라가더니,
"눈을 감아 봐. 내가 너희들에게 햇살을 보내 줄게.
찬란한 금빛 햇살이 느껴지지 않니……." 했습니다.
프레드릭이 햇살 얘기를 하자, 네 마리 작은
들쥐들은 몸이 점점 따뜻해지는 것을
느낄 수 있었습니다.
프레드릭의 목소리 때문이었을까요?
마법 때문이었을까요?

"색깔은 어떻게 됐어, 프레드릭?"
들쥐들이 조바심을 내며 물었습니다.
"다시 눈을 감아 봐."
프레드릭은 파란 덩굴꽃과, 노란 밀짚 속의
붉은 양귀비꽃, 또 초록빛 딸기 덤불 얘기를
들려 주었습니다. 들쥐들은 마음 속에
그려져 있는 색깔들을 또렷이
볼 수 있었습니다.

"이야기는?"

프레드릭은 목소리를 가다듬으며
잠시 동안 가만히 있었습니다.
그리고는 마치 무대 위에서
공연이라도 하듯 말하기
시작했습니다.

프레드릭이 이야기를 마치자,

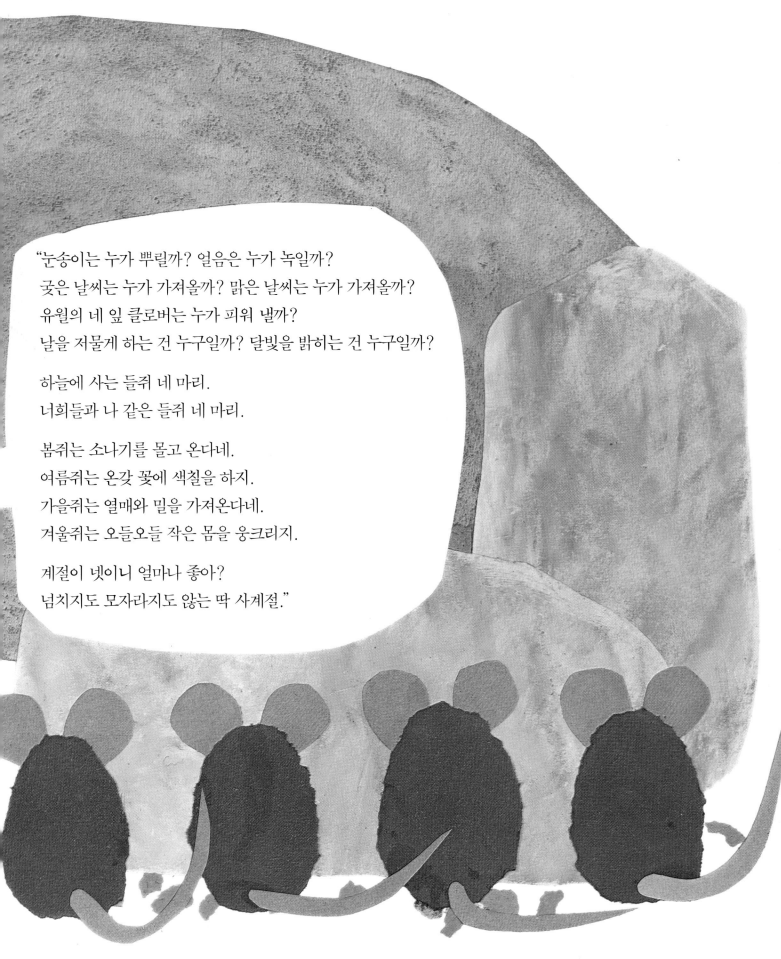

"눈송이는 누가 뿌릴까? 얼음은 누가 녹일까?
궂은 날씨는 누가 가져올까? 맑은 날씨는 누가 가져올까?
유월의 네 잎 클로버는 누가 피워 낼까?
날을 저물게 하는 건 누구일까? 달빛을 밝히는 건 누구일까?

하늘에 사는 들쥐 네 마리.
너희들과 나 같은 들쥐 네 마리.

봄쥐는 소나기를 몰고 온다네.
여름쥐는 온갖 꽃에 색칠을 하지.
가을쥐는 열매와 밀을 가져온다네.
겨울쥐는 오들오들 작은 몸을 웅크리지.

계절이 넷이니 얼마나 좋아?
넘치지도 모자라지도 않는 딱 사계절."

들쥐들은 박수를 치며 감탄을 했습니다. "프레드릭, 넌 시인이야!"

프레드릭은 얼굴을 붉히며 인사를 한 다음, 수줍게 말했습니다. "나도 알아."